GW00392484

ISBN 978-2-211-01431-1
Traduit par Missy Debs, Masako Irie et Isabelle Reinharez
Première édition dans la collection *lutin poche* : mars 1988

Titre original : « Nezumi no Kaisuiyoku » (Child Honsha, Tokyo)
Agence littéraire : Japan Foreign-Rights Centre
Loi numéro 49 956 du 16 juillet 1949 sur les publications
destinées à la jeunesse : mars 1988
Dépôt légal : février 2022
Imprimé en France par Aubin Imprimeur à Ligugé

Les souris à la plage

Une histoire de Haruo Yamashita
illustrée par Kazuo Iwamura

les lutins de l'école des loisirs
11, rue de Sèvres, Paris 6e

Sept petites souris vont à l'école.
Mais dès demain, il n'y aura plus d'école.
Les vacances d'été vont commencer.

«Demain, nous irons tous ensemble à la mer», annonce Papa.
Les sept petites souris sautent de joie.
«Je sais nager le crawl.» «Et moi je sais nager la brasse.»
«Moi je ferai la planche.» «Et moi du ski nautique.»
«Moi j'irai à la pêche.» «Et moi je barboterai comme un chien.»
«Et moi comme une souris!»

Est-ce bien raisonnable d'emmener les petites souris à la mer ?
Ne vont-elles pas se perdre ?
Ne risquent-elles pas de se blesser ?
Ne risquent-elles pas d'être emportées par les vagues ?
Anxieux, Papa fabrique sept bouées.
Puis il attache une longue corde à chacune d'elles.

Le jour se lève. Il fait beau. Les souris emportent un déjeuner, sautent dans un train, et en route pour la mer !

Oh, oh ! Cette plage est pleine de monde.
Ici les sept petites souris pourraient se perdre
en un rien de temps.

«Je me demande si on ne pourrait pas
trouver un endroit plus tranquille.»
Les sept petites souris découvrent
une petite crique au pied de la falaise.
«Hmmm, ce rocher ferait un parfait
poste d'observation.»
Papa est tout de suite d'accord
pour cette crique.

Les sept petites souris mettent leurs maillots de bain
et entrent dans l'eau.
«Comme c'est amusant d'être à la mer!»
Les unes nagent, d'autres pêchent, d'autres font la planche…

Tout le monde se sent en sécurité
parce que Papa surveille la baignade.

«Si on se reposait
et si on déjeunait ?»
crie Maman.
Mmmmmm...
Les boulettes de riz
de Maman
sont délicieuses.

Après le déjeuner, c’est l’heure de la sieste.
La brise qui souffle de la mer est parfaite.

La marée a monté.
« Oh ! regardez ! Papa est entouré d'eau ! »

Tout le monde crie à Papa : « Reviens ! Reviens ! »
Mais Papa répond avec un air hésitant :
« Oh là là, qu'est-ce que je vais faire ? C'est trop profond maintenant. En fait, je ne sais pas nager. »

«Attends, Papa, on va t'envoyer une bouée», crient les enfants.
Mais Maman secoue la tête.
«Non, non. Cette bouée sera trop petite pour Papa. Il coulera avec.»

«J'ai une meilleure idée.
Attachons toutes les bouées ensemble.
Et puis tirez-les à la nage jusqu'à Papa.»

«Papa, nous voici.
Maintenant
tu es hors de danger.»

«Oh, merci!»

«Ho-hisse ! Ho-hisse ! Bravo ! Papa. Tout va bien maintenant.»

«Nous retournerons à la plage tous ensemble bientôt», promet Maman.

CHILD